少年经济学院

少年经济学笔记

灰鸽叔叔 著　油头鸭 绘

北京科学技术出版社

图书在版编目（CIP）数据

少年经济学笔记 / 灰鸽叔叔著 ; 油头鸭绘 . — 北京 : 北京科学技术出版社 , 2021.11（2023.6 重印）
ISBN 978-7-5714-1713-0

Ⅰ. ①少… Ⅱ. ①灰… ②油… Ⅲ. ①经济学－少年读物 Ⅳ. ① F0-49

中国版本图书馆 CIP 数据核字（2021）第 148125 号

策划编辑：郑宇芳
责任编辑：郑宇芳
封面设计：杨沐梵
图文制作：曾仲宇
责任印制：吕　越
出 版 人：曾庆宇
出版发行：北京科学技术出版社
社　　址：北京西直门南大街 16 号
邮政编码：100035
电　　话：0086-10-66135495（总编室）
0086-10-66113227（发行部）
网　　址：www.bkydw.cn
印　　刷：北京宝隆世纪印刷有限公司
开　　本：787 mm × 1092 mm　1/16
字　　数：90 千字
印　　张：6
版　　次：2021 年 11 月第 1 版
印　　次：2023 年 6 月第 3 次印刷
ISBN 978-7-5714-1713-0

定　　价：49.00 元

经济学就在我们身边

经济学在哪里？有人回答在书上，那一本本厚重的专业书籍，记录着一个又一个复杂的概念和经典的案例；有人回答在市场中，股市里的K线图，风云变幻的商战，展现着财富的流动与更替；有人回答在钱包里，我们月初收到的工资，超市里的支付二维码，是我们真实而普通的生活……其实，经济学就在我们身边。

从微观经济学的角度来看，人们的每一个购物选择，商品价格的每一次调整，都是值得分析的对象。例如，“今天的番茄涨价了”，未必是简单的“老板想要多挣钱”，而是原材料、服务成本多重因素叠加的结果；“去超市门口抢免费鸡蛋”，未必是简单的“贪图便宜”，而是一种更深层次的消费心理在起作用……如果我们愿意了解事件背后的运行逻辑，就能看透不少生活的“真相”。

我们有时会误以为“经济学”就是“谈大事”，一群人西装革履说着特别令人费解的话——但“大”未必代表有内涵，“小”未必代表没有价值；吸引人的未必代表没陷阱，老生常谈的未必代表没意义。有很多看起来毫不相关的故事，都可以用经济学知识去寻找它们的关联，从“大”中找到和自己的生活关联的“小”，从“小”中发现影响久远的“大”。

在这本书里，我们会了解一些经济学概念：总有人觉得“投资”是大本事，“投机”是小本事，但这两者其实可以转换；总有人觉得“赚钱”是大学问，“花钱”是小学问，但前者大中有小，后者小中见大；总有人觉得“洞察市场”有大讲究，

“商品定价”是小花招，但其实两者相辅相成，缺一不可……

你会在书里找到一些有趣的答案，它们或许会对你有一些实用，而且，它们就是经济学。

目录

赚钱与花钱

无论是向谁讲解经济学知识，“赚钱”与“花钱”都是两个最实用的切入口。

对你来说，掌握一大堆名词解释并没有太大的意义。什么是股票？什么是债券？上网查一下就知道了。把将来课堂内能学到的东西提前灌输给你，并没有什么意义。

可能大人们会说，没关系，等你长大了，自然就会赚钱了；等你长大了，自然就能发表意见了；等你长大了，自然就看得懂了……

“长大”并不是一把万能钥匙。而且，长大后不懂的人依然很多。

不信？让我们从3件特别简单的事情说起。

卖给同学东西，算不算会赚钱？

把家里不常用的东西卖给同学，算不算会赚钱？这算是财商的觉醒吗？应该鼓励大家去尝试吗？如果家里的物品是要扔掉的或者是低价买来的，你能卖出去，那就应该算会赚钱。

但事实上，这依然是小孩子“过家家”，可能赚了点儿零花钱，但并不代表这个人拥有了财商。

是否拥有财商，要看有没有做到下面几点。

第一，有没有订立契约。确立雇佣关系要签订劳动合同，进行商业合作也要有商务合同，出门吃饭、出去住酒店、路上买水果，符合规定的话都应该有发票来作为契约的依据。你不要发票是你的事情，但不代表卖东西的人不提供发票是应该的。就算因为各种原因卖东西的人无法提供发票，也应当有收据作为维权和售后的依据。

契约是明确买方和卖方的权利义务的重要凭证，在“合理的生意”里绝对不能缺失。什么是契约精神？契约精神不仅是言而有信，还是言而有据。

如果你把自己的东西卖给同学或者朋友，要求你准备发票可能不太现实，但你准备收据了吗？万一需要售后，你有准备吗？

第二，商品有没有核心价值。我们在做生意前必须考虑：这个商品在别的地方是不是能买到，价格是多少，我的定价是根据什么确定的……总之，要证明“售价”的合理性。

为什么要考虑这些？因为绝大多数合理的商业行为，面对的都是拥有民事行为能力的人，他们会根据性价比做出判断，会货比三家。如果你乱定价，生意根本维持不下去。

但把东西卖给同学有点儿不一样，因为用户基本上都是没有民事行为能力的人，花钱买东西可能是基于“好玩”，他们可能不知道这个东西到底值多少钱。如果一个网上 3 元可以买到的商品，你 5 元卖给了同学，表面上看，你很有经商头脑，实际上则损害了同学之间的关系。同学的父母可能也会要求自己的孩子“离他远一点儿”。

如果是这样做生意，那根本不算会赚钱。你要先弄明白赚钱的规则，哪怕是再小的买卖，也要有契约意识，也要讲诚信。如果你的精力支撑不起这样的前置契约和后置服务，那你就先别急着做生意，这是对商业行为的基本尊重。

把压岁钱存在储蓄罐里，算不算会理财？

这个问题比较好回答。如果你把压岁钱当宝贝一样藏起来，实际上它的购买力会越来越低。就像家门口在卖的煎饼果子，前几年只要 3 元 1 个，现在要 5 元

了。所以，把压岁钱放在抽屉里或储蓄罐里，肯定不算理财。

那怎样做才算理财呢?

炒股、买基金、买保险、换外汇、存到银行……可能大家都听说过各种理财的方法，也听说过不少“因为炒股赚了大钱”的故事。

“赚大钱”的梦想人人都有，但最后能实现的人是凤毛麟角。其实对我们中的绝大多数人来说，要具备的理财能力并不是“赚大钱”，而是尽量让自己的存款的增长幅度大于物价上涨的幅度，如果你能做到这样，就是一件了不起的事。

例如，今年我们的菜价、水电费比去年涨了5%，如果我们的存款所获得的利息、理财的收益率大于 5%，那就已经很不错了。

可能有人觉得让手中的积蓄的投资回报高于物价涨幅很容易做到，比如很多理财产品都说自己的回报率很高，昨天邻居家的股票还涨了 10% 呢。

有一条很多人都会忽略的规律：任何一种理财手段的收益和风险都是对等的。收益越高，风险就越大。你只听说邻居家的股票涨了 10%，但跌 10% 的时候你未必会知道。

理论上来说，没有一种理财产品只赚不赔，我们都需要根据自己的风险承受能力选择适合自己的理财产品。

在正常情况下，我们需要把我们的财产分成 4 部分：满足日常开销的钱、能解决一些意外的钱、进行稳健低风险投资的钱、进行高风险投资博一个可能性的钱。遗漏任何一个部分，都是有缺失和遗憾的。

而我们所知道的“理财大神”，往往都只强调其中一个部分，甚至是风险最大的那个部分，这样的做法，并不适合普通人。

给游戏充值，算不算乱花钱？

不一定算。娱乐消费同样是人的正常需求之一。如果只有用在刚性需求上的消费才算合理消费，那许多行业就没有存在的必要了。去卡拉 OK 唱歌有什么用？买名牌包有什么用？给游戏充值的行为肯定不是一个罪无可赦的行为。

但游戏最大的问题是它可能存在的“反自控力”，你一般都会说：“我绝对不会上瘾的。”但现在很多游戏的设置就是让你“以为自己不会上瘾，但其实已经沉迷其中了”。这是比充值更糟糕的事情，或者说这会诱导你花费更多。

可能有些人会不服气，认为这是夸大其词，那大家来回答一个问题：在你玩游戏的时候，让你马上停下来，你能停吗？

很显然不能。联网的游戏很难在中途退出。因为一旦退出，你不仅会被队友责怪，你的账号还会被取消权限或者冻结。如果你启动了游戏，通常需要打完一局。

你少签到一天，就可能少领一个道具；你中午 12 点不登录，就可能少领一份体力值……这类游戏设计都是高度“反自控力”的，对人的影响也会更大。

在生活中，我们会遇到许多的诱惑、各种各样的消费陷阱，需要去认真地分析它们、识破它们。它们可能在大家都很熟悉的“双十一”购物节里，可能在热热闹闹的直播间里，也可能在你家门口超市的促销活动里。我们只有了解消费背后的门道，才能避免掉入各种各样的“坑”，成为一个理性冷静的消费者。

花钱当然很开心，但乱花钱的结果肯定不好。

赚钱、理财、花钱，这 3 个技能都要掌握。缺少任何一个，你都没办法成为“钱”的主人。

现实生活中，大家缺不缺钱呢？其实经常是缺钱的。不懂怎么赚钱的人可能常常想着一夜暴富，既不愿意提高自己的能力，也不愿意踏实工作，却愿意相信各种小道消息，很容易上当受骗。

陷阱

天上掉“馅饼”

不懂理财的人就像一个大漏斗、无底洞，一会儿投资这个，一会儿投资那个。看别人推荐什么就投资什么，最后却没有收益甚至可能亏钱。

不懂花钱的人可能经常买一堆又贵又没用的东西，甚至铺张浪费；或者非常节约，什么东西都舍不得买，这两种做法都无法提高生活品质。

如果我们掌握了一定的经济学知识，那么我们就会知道“什么钱能赚”“什么钱该花”；在我们长大后，就不会轻易上当受骗，知道“什么是骗人的”“天上不会掉馅饼”。

在很多文学作品中，我们经常看到“无偿奉献”，但真正支撑社会运行的是劳有所得。一个要求所有事情都无偿奉献的社会，一定是难以持续的。所以，我们需要了解怎么赚钱、理财和花钱，这背后有一系列规则和规律，而这也和我们的日常生活密切相关——明白了这一点，大家就可以说拥有了财商。

贫穷和富有

想变得富有不是一件丢人的事，谁都想赚更多的钱，获得更好的生活。但问题是，对“有钱”这件事情的定义好像有点儿乱。

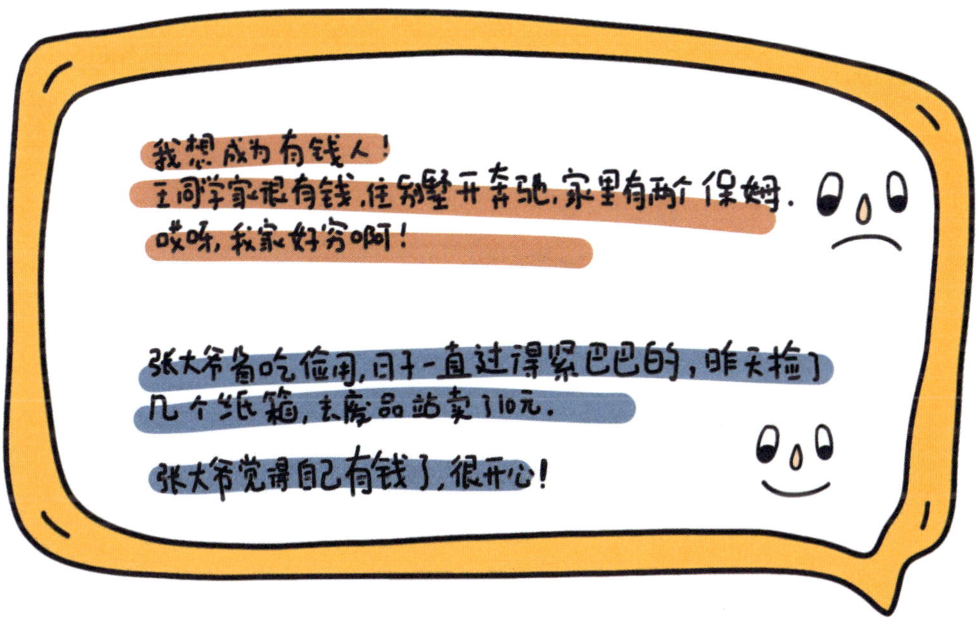

富有和贫穷，到底有没有标准呢？同样的收入，为什么有人觉得自己富可敌国，有人觉得自己穷困潦倒呢？到底怎么样才能成为有钱人呢？

这个问题让人挠头，但我们可以说说有钱和没钱的差别。

总会有人富一些，有人穷一些

我们常常会有这样的疑问：同样在上班，为什么有些人赚的钱多，有些人赚的钱少呢？出门逛街时，我们可能也会想，这个早点摊主凌晨就开始工作了，为什么收入没有楼上不工作只靠收房租生活的人高呢？有时候我们会觉得这很不公平，能不能把大家的收入平均一下呢？

事实上，因为每个人的情况各不相同，“辛苦不辛苦”并不是决定收入高低的唯一标准。有这样一个故事：一台价值几百万元的设备坏了，大家都不会修，一筹莫展时，来了一位专家。这位专家说，给我10万元，我就能修好。专家在一个部件那里画了一条线，说在这条线上处理一下就能修好。机器果然修好了，有许多人不服气：画一条线就能赚10万元，这是不是也太贵了？专家微微一笑说：“是啊，画一

条线就值一元，但知道在哪里画线，值99999元。”

工作的技术含量不一样，社会需求就不一样，对应的收入肯定也不一样，所以掌握知识就能改变自己的财富命运。

但有时候，我们的命运并不完全掌握在自己的手里。例如，我们没办法选择父母，也没办法选择出生地点。人生不是玩游戏，如果我们出生在一

个四线小城市的普通工人家庭，那我们获得财富的机会肯定比在一线城市有可能拿到拆迁款的家庭要小很多。

有人一出生就是富二代，有人则从小小年纪开始就需要为生计发愁，命运这件事，也会影响我们的财富的多少。

让我们有点儿纠结的是：好像“富的人越来越富，穷的人越来越穷”。如果大家都把自己的积蓄存入银行，同样是 2% 的利率，富的人可能存了一千万元，一年的利息就有 20 万元；而穷人千辛万苦才存了一万元，利息才 200 元。

也会有各种各样的手段，来调节贫富差距，比如税收。一方面，我们要允许贫富差距存在，让社会有活力；另一方面，也不能让差距太大，影响社会公平。

贫穷和富有有定义吗?

到底有多少钱才算富有呢?

这很难回答，可能你现在问 10 个人，会有 10 个不同的答案。你去问上市公司老板，他未必会说自己富有；你问门口小吃店的服务员，他也未必会说自己贫穷。

能有一个统一的标准吗？很难。以前有一个词叫作“高净值人群”，是指手头的钱大于 100 万美元的一群人，换算成人民币就是 600~700 万元，这个数字并没有持续更新。后来，也出现了各种各样的“财富自由”的标准，比如有人说，财富自由就是“我不用再为钱发愁了”——但每个人对“有钱”的标准都不一样，有人可能要有 300 万元，也有人可能要有 3000 万元……而这其实都是幻想中的数字。

还有一个有意思的标准，听起来有一些道理。如果把一笔钱存在银行里，它的定期利息不少于正常工作的工资，也就是说，你不用上班，靠利息就可以轻松维持家庭开支，如果能做到这一点，你就算是富有。这个标准，其实挺高的。

再来看贫穷。虽然贫穷没有一个统一的标准，但有可以参考的指标：贫困线标准。我们听到的“全面脱贫”，就是要让每个人都摆脱这条贫困线。

在现在的中国，按照常规定义，一户人家达到以下标准，就不是贫困户了，即“两不愁三保障 + 家庭人均年收入大于 4000 元”。“两不愁”就是不愁吃，能够吃饱饭，不挨饿，饮用水的水质安全；不愁穿，家里有应季的衣服、被子、鞋子。“三保障”就是住房安全有保障，房屋结构安全，不是危房，没有倒塌的风险；义务教育有保障，能够保障家里的孩子读到初中毕业；基本医疗有保障，家里买得起基本医疗保险。这里说的“人均年收入大于 4000 元”，并不是指人均每年能存下来 4000 元，这跟花钱没有关系。

因此，事实上富有和贫穷并没有一个数字上的绝对标准。很多人看起来已经很富有了，却依然觉得自己没

钱；而很多人看起来并不富有，却觉得自己已经很有钱了。

富人不觉得富，很可能是因为他处在一个有钱人聚集的环境里，总觉得自己不如别人；穷人不觉得穷，同样是因为他身边人的经济水平相差不大，导致他也能安于现状。

是什么影响着我们对贫穷和富有的定义？

为什么我们的“富感”和“穷感”差异那么大？归根结底，是两个字：环境。不同的环境产生了不同的比较，不同的比较决定了不同的心态。如果我们有 500 万元，其实已经相当有钱了，但因为天天遇到的都是有 1000 万元的人，我们也可能觉得自己穷；反过来，如果我们是月工资只有 4000 元的打工族，但身边很多人却连这个钱都赚不到，而我们又不生活在一线大城市，日常消费没有那么高，我们也会觉得自己比较有钱。

地理位置

在中国，北京、上海、香港、深圳、广州都是房价高、工资也高的城市。如果按照人群密集度来算，根据《胡润百富榜》2019年公布的数据，香港是有钱人最密集的城市，每34个人中就有1个拥有上千万资产的人士；北京排第二，每83人中有1个千万富翁。中国内地整体来看，则是每940人中有1个千万富翁。

这是因为住在这些大城市的人普遍拥有500万元以上的自住房产。这一点居住在一线城市的人深有体会，一套二室二厅的房子的挂牌价格应该都大于500万元。但它能给人带来有钱的感觉吗？并不能。哪怕没有背负房贷，人们也很难体会到“有钱人”的快乐。如果这套房子是一个家庭自家居住的，这家人绝不会把房子卖了，去住五星酒店、打高尔夫，过有钱人的日子，家里的成年人或许依然要每天挤地铁上班，也并不觉得自己拥有几百万元的财富。

事实上，如果把这套房子出售，然后带着钱去一个小城市生活，可能感受就会完全不一样。但这样一来，又会有新的问题出现：小城市的工作机会、医疗资源、教育资源都不足，在小城市的消费水平是低了，但收入降得更多。

很多人的梦想是“赚一线城市的工资，在三线城市消费”，这属于鱼与熊掌兼得的梦想。而且，为了获得更好的教育资源、医疗资源、工作机会，人们依然会往一线城市迁徙，客观上也会让一线城市的消费水平越来越高，这也是生活在大城市里的人并不认为自己有钱的原因。

职业

不同的工作、不同的岗位会带来不同的收入。我们每个人都更容易接触到和自己收入差距不大的人，并且会在这个范围内评估自己的经济状况。如果你是一个流水线上的工人，上班时你遇到的主要就是自己的同事，你期望的高收入可能是自己的领导的收入；回到家，你的邻居和你的收入差距也不会太大，因为你们购买的都是同一个小区的房子。

如果我们从事的是一个收入高的职业，我们居住的是一个超级高档小区，但因为我们一直在接触同样的人，以至于我们会忘记自己是“富有的少数”，贫穷也是同理。哪怕我们会接触到另一个行业、另一个区域的人，也很难把他们作为自己的参照。

如果说地理位置是自己不能决定的客观因素，职业选择也有一定的偶然性，那还有两个影响我们对富有和贫穷做出判断的主观原因：一是规划，一是预期。

对自己所拥有的财富的不同规划，会影响人们对“自己有多少钱”的判断：

月薪两万元的人月初到处乱花钱，到月底就要省着花，肯定觉得自己穷；月薪8千元的人有一个清晰的消费规划，到月底还余不少钱，感受就会好很多——这是消费观带来的差别。

有人会在提升自己的能力上花费更多的时间和金钱，比如考一个职业资格证，攻读一个新学位，为自己将来提高收入打下基础；有人可能就把钱花在一餐又一餐的美食上。虽然享受生活也很重要，但如果不提高自己的能力，未来面临淘汰的风险就更大——这是学习观带来的差别。

因此，如果一个人缺乏规划能力，没有合理的消费观念，随便乱花钱，就会因为攒不下钱而觉得自己很穷；而如果一个人可以不断提升自己的能力，合理规划自己的钱，可以慢慢累积财富，就算钱并不多，他的心里也会觉得踏实，不会觉得自己很穷。

至于预期，有人会把它叫作野心。总有人觉得自己的钱不够花，想变得更有钱，有了 10 万元的时候想有 100 万元，有了 100 万元的时候又想有 1000 万元，有了 1000 万元的时候还想有 1 亿元。有这样的野心当然不算坏事，说明有上进心，但有一个常识我们一定要记在心里：我们的财富，一定是和我们的能力相匹配的。

银行与钱

一说到银行，几乎所有人都会把它当作一个有钱的地方，并且会冒出一大堆问题，比如，银行地下室里会有装满黄金的金库吗？银行里的钱是不是堆积如山？如果钱不够，还有一台机器能够随时印钱？把钱存在银行里会有利息，那这个利息是怎么来的？中国人民银行在哪里？它和中国银行哪个级别高？

在不少人眼里，银行就是金钱的聚集地，每一个角落都散发着财富的味道。那就让我们开启银行的大门，看看里面到底有多少钱。

中国人民银行在哪里?

我们手里的纸币上都印着“中国人民银行”这几个字，那这家银行在哪里?是中国银行的全称吗?

中国人民银行，就是我们一直说的“央行”，是“中国的中央银行”。中国人民银行不是中国银行。它是国务院的组成部门，是政府机构。它可不是让老百姓存取款、买理财产品的银行，它的工作是制定和执行货币政策，发行货币，维护国家金融安全，进行宏观经济调控……它不是以盈利为目的的金融机构，而是给我们的经济定规矩、出办法的政府机构。

而中国银行是国有商业银行之一，类似的商业银行有不少，比如中国建设银行、中国农业银行、中国工商银行……它们都是金融机构，业务范围很广泛，存款、贷款、代发工资、代缴水电费等，这些大家熟悉的银行业务，就是商业银行的主要业务。所有商业银行都是以盈利为目的的机构。

包括中国银行在内的商业银行，都是中国人民银行的下级单位，中国人民银行是全国所有商业银行的上级，所以中国银行和中国人民银行并不是同一家银行，而是上下级关系。

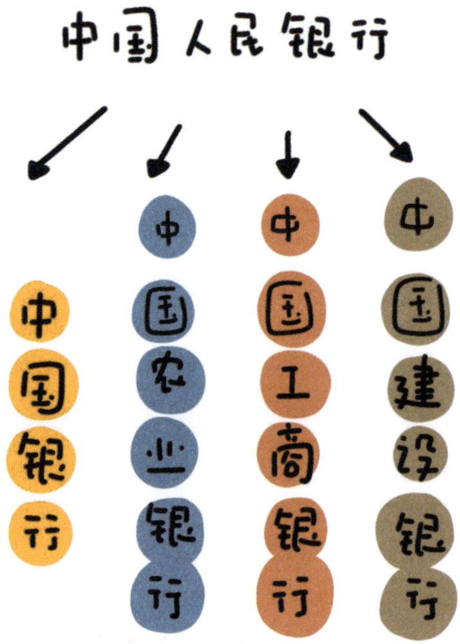

至于“银行里有没有藏有黄金的大金库”，大家可能是电影看多了，把银行想象得像藏宝阁一样。事实上，商业银行有总行、分行、支行、分理处、储蓄所等分级设置，一般只有支行以上的银行才会设有金库，一些支行营业部只有保险箱，每天早上由押运车送来现金等，晚上由押运车接走，大家家门口的银行十之八九是没有神秘地下室的。

就算家附近的是一家分行，所谓的“金库”恐怕也不会让你们太惊喜。分行确实会储备一些现金和贵金属，还有一些凭证，但绝对不像阿里巴巴和四十大盗发现的藏宝洞一样满满当当。

其实生活哪有电影里那么戏剧化，至于有些人琢磨的“会不会被炸开”“有没有像蜘蛛网一样的红外线设备”，就更不可能了。大家猜猜最有用的安全设备是什么？

对，无处不在的监控，并且是带有应急电源的监控。

银行靠什么赚钱?

在《财富》杂志世界500强企业的榜单上，中国的一些商业银行常常能排进前10。有些人会有疑惑：我把钱存在银行，比如存了10000元，年底银行会给我10200元，银行怎么赚钱呢？难道是自己印了400元，然后给我200元，自己再留下200元吗？

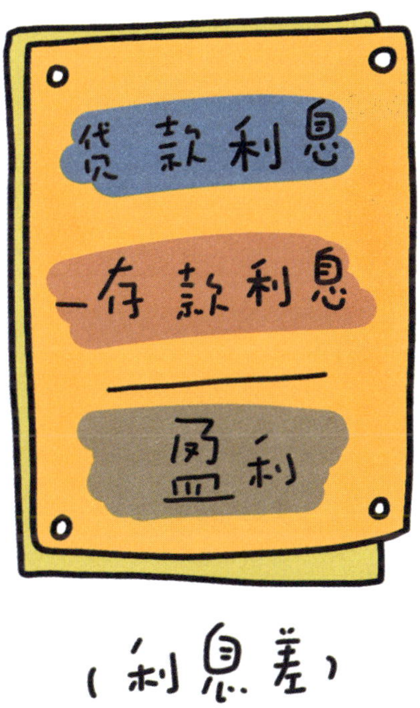

产生这种疑问并不奇怪，因为大家都没有向银行贷过款，如果有贷过款，那问题就很好回答了。

一直到今天，银行的主要盈利依然来自存贷差——一个缺乏想象力的业务。简单地说，就是你向银行借钱，需要付给银行的利息多；你在银行存钱，银行付给你的利息少。这个利息差就是银行的主要盈利。例如，一年期存款利率是1.5%，贷款利率可能就是4.5%，中间这3%的利息差就是银行的盈利。

别小看这个看似很小的知识点，它可以解释很多经济现象。例如，我们经常听到的“经济刺激政策”，大家听起来总是云里雾里的“升息降息”，都和这种盈利模式相关。

通过这种盈利模式，大家也可以知道，银行非常希望人们都去办理存款和贷款，最好存款和贷款的总额差不多，你存在我这里的，我很快就能借出去，他还钱的时候，正好你也来取钱。

事实上，存款和贷款的总额不太可能刚好相当：存钱的人太多，借钱的人太少，那就意味着需要支付的存款利息多，获得的贷款利息少。哪怕利息差再大，如果存款和贷款的数额相差过大，银行就有可能面临亏损。存钱的人太少，借钱的人太多，那就意味着银行一直处于手里没钱的状态。万一有人想取钱时取不到，就会引发恐慌，大家都抢着去取钱，最终导致银行无钱可贷，也无人来存，彻底失去作用。银行把钱贷给企业，但到期后企业还不了钱，那这笔钱就成了一笔坏账，变成了银行的损失……

因此，调整利息就是一个非常实用的手段。我们来看一个简单的逻辑：如果银行希望更多的人来存钱，回笼资金，就要提高利息；如果银行希望更多的人来贷款，那就要降低利息。如果在一个时期需要让大家多消费以激发经济活力，让更多小企业有贷款意愿和偿还能力，这就会进入一个降息周期。如果银行一下子借出去太多钱，而万一这时候又有很多人来取钱，怎么办呢？央行的办法是，让所有商业银行都按照一定的比例保留一部分钱，比如A银行有存款100元，央行制定的比例是20%，A银行要保证手头至少有20元来应对可能取现的人，它能借贷的最大额度就是80元。这个按照一定比例保留的一部分钱，就是“准备金”。

“多印钱”能让大家变富吗?

有人说，既然钱都是世界各国自己印的，为什么不可以多印一点儿，拿到国际市场上去花；也有人说，能不能印一些钱给那些特别穷的人，也不用麻烦大家捐款了。

这些想法都特别单纯美好。事实上，世界上也有随意印钱的国家。例如，津巴布韦、委内瑞拉等国家都曾不负责任地印货币，但结果是什么呢?

就以津巴布韦为例，疯狂印钱的结果就是国内通货膨胀，今天 10 元还能买一个饼，明天就要 50 元了，到了后天，就要 100 元了。结果，大家非但没有觉得自己有钱，反而都不敢把现金留在手里，先用完再说或者换成别的国家的货币。最后，本国的人都不愿意用自己国家的货币，而改用美元。

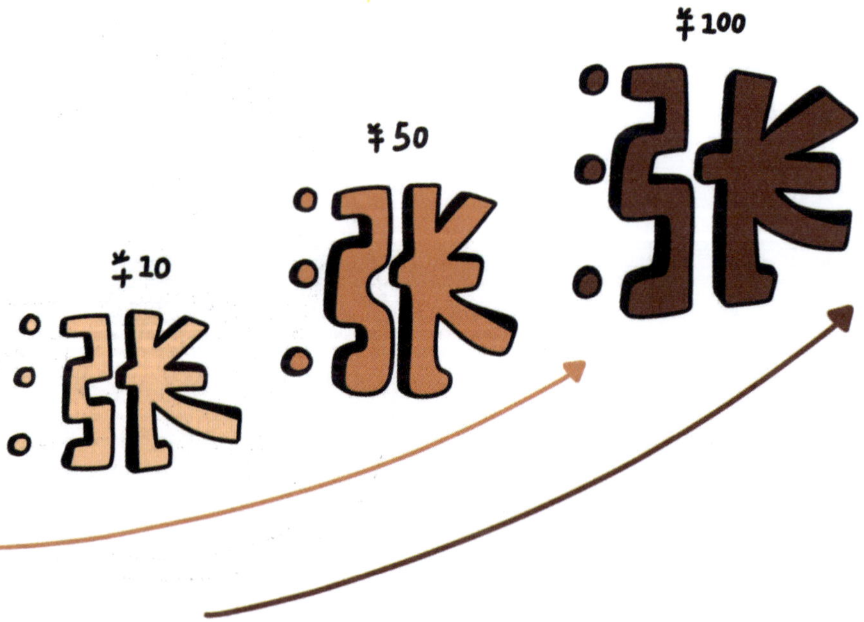

那么，一个国家印多少钱才算刚刚好呢？最简单的一个算法就是，印的钱和这个国家的商品供应量相等。例如，这个国家多生产了价值 100 元的商品，那就要多发行 100 元的货币，如果不发行，可能导致商品价格下降，大家不愿意生产；如果发行多了，就可能导致物价上涨，大家持有的货币都贬值了，人们的生活水平也会下降。

所以，货币的发行量一定要和一定时间范围内全国商品交易量需要的货币总额相当。就算是计划多发行一点儿或者少发行一点儿货币，也要严格限定在一定的范围内。

为什么不能随便印钱给穷人？这个问题说复杂也复杂，说简单也简单。

假设我们印了很多钱，让所有的穷人手里都有钱，也不用有钱人捐款，听上去好像是一件特别好的事情：穷人的钱多了，富人的钱也没少，但接下来会发生

什么呢?

这些原来贫困的人肯定要购买商品，假设他们所买的商品的总金额为一亿元。这就意味着，市场上多出了一亿元的商品需求。这样一来，商家发现，商品比以前好卖了，但却好像没办法那么快生产更多的商品，怎么办呢?那就涨价吧！于是，商品的价格就提升了。

整个市场和所有的人，都因为这次的“拯救贫困”计划，面临着物价上涨的压力。不穷的人确实没有捐款，钱在表面上并没有减少，但是他们的消费能力却因此下降了。

所以，只要多印钱，就会引发通货膨胀，哪怕是钱只给一小部分人。

如果你是一个服装厂厂长，过去一天能卖100件衣服，现在能卖200件，除了涨价，你还会怎么做?

当然是扩大生产了，招聘

工人、购买材料、租厂房……但你只看到买衣服的人多了，衣服价格也上涨了，却没想到，这个需求并不是持续的，可能这一笔钱花完后，大家的消费水平又回到了以前。

但是机器也买了，人也招了，这可怎么办呢？这就是“产能过剩”。供给大于需求，最后服装厂只能裁员，服装亏本大甩卖。

所以，用这种方式拯救穷人，最后很可能谁都帮不了。钱能买到

商品，必须要有商品生产出来。如果国家印钱就可以改变穷人的生活现状，那工作还有什么意义呢？

所以，银行里没有印钞机，即便是央行，要做出多发行货币的决定也是非常小心谨慎的。世界上不可能有“多印一些钱让大家开心”这件事，因为多印钱不会让大家开心，也不会让大家的生活质量得到提高。

在不少人眼里，银行是一个有

很多钱的神秘机构。银行的确有钱，但它并不神秘。和社会上的大多数企业相比，它的盈利模式还相当古老。但这种古老已经足够保证它的作用和影响力，我们的日常生活离不开它。

劳动与报酬

不管和多大年龄的人讨论商业方面的问题，最热的话题中肯定有薪酬，也就是工资。一说到工资，我们肯定会有很多方面的疑问，甚至也会听到各种各样的抱怨。

还没有工资的学生，会希望将来找一份高薪的工作。已经领工资的工薪族，会发牢骚："凭什么小张就干这点儿活，工资却比我高。"还会有不少人讨论，为什么明明一份工作看起来更危险也更辛苦，但从事这份工作的人的工资却不高。

现在，职业的需求变化非常快，总有一些职业突然消失，一些职业突然兴起。例如，最近几年，许多人说投身专业电竞，这在过去很难被称为“工作”，但现在却是正规的职业。有些职业因为需求量的增加，工资水平突然间有了很大提升，但同时又有些职业因为不再有需求，工资慢慢变少。同样的职业，也因为各种因素的影响而出现了巨大的工资差异。那主导这些变化的原因是什么？怎么能够合理地看待这些差异呢？

到底是什么决定了工资的高低？

如果有人问你这个问题，你会怎么回答？

可能相当一部分人会回答：“是老板决定了员工的工资。”碰到好老板，多给一点儿；碰到不好的老板，少给一点儿。但老板真的可以那么任性吗？

事实上，大多数老板都不能简单地用“大方”或“小气”来形容。如果员工的工资发多了，那老板可以用

于企业发展的资金就少了。老板本来想开分店发展一下，结果一看，钱都发工资了，店面被对手拿下了；如果工资发少了，员工就容易离职，甚至不好好干活，企业也同样会陷入困境。所以，绝大多数人的工资，都是市场本身所决定的。在同一时间段、同一区域内，同样职位的人的工资，原则上差异不会过大。

事实上，决定工资多少的是两个要素：一是，有多少人需要这份工作所带来的劳动成果；二是，有多少人愿意做这份工作。工作的辛苦程度和危险程度，并不能决定工资的高低。

简单地说，一个职业需要的人越多，能做这份工作的人越少，工资就越高；一个职业需要的人越少，能做这份工作的人越多，工资就越低。

例如，外卖骑手或者快递员，并不算低薪职业，非常辛苦地工作的话，一个月也能有一万多元的收入，因为大家需要他们；但为什么他们的工作那么辛苦，风里来雨里去，却不能拿更多工资？因为这份职业门槛低，很多人都可以去做。

例如，很多人向往的电子竞技行业的电子竞技员，他们的总收入比以前高了不少，这种提高显然就与需求有关：喜欢电子竞技的人多了，电子竞技市场变大了。但值得一提的是，竞技类行业的收入分配很不均衡，因为从事电子竞技行业的人越来越多，以前是 100 名选手竞争一个冠军名额，现在是一万名选手竞争一个冠军名额，这也意味着即便行业平均收入依然可观，但绝大多数人并不会达到平均值。

为什么从事某些行业的人一入职收入就会很高？因为这些行业刚开始对人员的需求量大，而会的人又不多。例如，以前打字员、速记员就是一份薪酬很高的职业。为什么他们的收入突然降低了？因为大家都会打字了，速记这份工作在一定程度上也被人工智能取代，要维持原有的收入，速记员就需要掌握其他的技能，比如校对、翻译等。

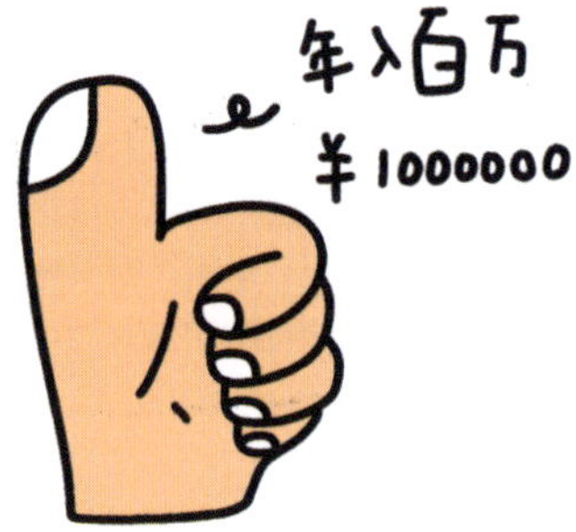

记住“需要多少人”和“有多少人会”，就能解释我们生活中绝大多数的工资问题。

到底是什么影响了工资的高低？

仅仅依靠“需要多少人”和“有多少人会”来判断工资的水平，可能还会有一些不足。

例如，两个程序员，在同一家公司不同城市的分公司工作，做的事情差不多，为什么有一个人的工资就是会少一些呢？

确实有很多因素都会影响同一个职位的工资。有时候它们的差异还会非常大。这未必都是因为老板

喜欢一个员工，不喜欢另一个员工，有很多客观因素在起作用，其中有两个是最常见的。

一是，地理位置。同样的职位，上海和西安的薪酬就会不一样，在正常情况下，上海的可能略高。

为什么会存在这样的情况？大家应该都能回答。相对来说，上海的生活成本高一些。不管是租房，还是吃饭、打车，消费都比西安要高。企业只有用相对高一点儿的工资，才能吸引人才。而低一些的薪酬，可能在西安就有人愿意做了。

为什么沿海大城市的生活成本高？这是另一个很复杂的问题。简单说，是因为这些城市对外交流多，有更多的就业机会，也吸引了更多的人来。人一多，房价就会高，消费水平也会提高，同样也会助推工资的提高。

很多在小城镇生活工作的人，工资 5000 元就能过得很舒服，而有些人在大城市，工资两万元依然过得紧张。

二是，时间。你和另一个人从事同样的工作，但晚了一年，可能收入就完全不一样。

其实，这里面还有一个需求变化的因素。实际上这份工作的需求已经不一样

了，所以它的工资就需要调整，但因为老员工可能签了一份长期合同，暂时没有进行调整，而新员工直接根据新需求定了新的工资，所以也会在一段时间内，出现“同工不同酬”的现象。

因此，地理位置和时间是影响工资多少的两个最常见的客观原因。企业的好坏、老板的喜好、个人的情商和智商等这些原因也多少会对工资有影响。

如何获得高工资？

有些人会不断地追逐新兴行业，哪个行业工资高就去做哪个行业，比如这两年流行直播带货，不少人就想转型做带货主播……

其实我们考虑的依然是这两个问题：“需要多少人”和“有多少人会”。还要看到这两者之间的奇妙关系：如果会的人越多，就有可能大于需求量。就拿大家熟悉的直播带货来说，从事直播的人多了，每个主播能赚到

钱的机会自然也就少了。

所以，首先要确认的“我在做的事情”，会的人多不多。如果某种技能大家都需要，而且学起来不容易，那拥有这种技能的人就能拿高薪。从这个角度来说，读书学习，获得一个高学历，显然是重要的事情。就算你刚毕业，但拥有名校的学历，就可以在一开始证明“我能做到的，不少人没有做到”。有人会说，都能胜任这份工作，为什么名校毕业的人，就能通过面试，就能试用期短，就能工资高……这是因为，这些人一开始就赢在“有多少人会”上。

同时，也要确认“我会做的事情”大家是不是需要。在现代社会中，一份工作安安稳稳做到退休的概率已经越来越低了，每份工作都面临着机遇与风险。今年的收入高，并不代表明年的收入也高；今年的收入低，有可能明年的收入会

更低。因此，我们每时每刻，都要关注我们正在做的事情大家是不是还需要。如果大家都在用数码相机和手机了，我还在拼命生产胶卷，就算生产胶卷的手艺没什么人会，也很难获得高收入，因为大家已经不需要了。

有很多职业，甚至手工艺人都是这样消失的。如果我们把时间退回到30年前，就会发现那时的大量职业现在已经不存在了。确实，从事这些职业的人的手艺“会的人不多”，比如现在会用缝纫机的人不多了，但这并不能让他们获得更高的收入，因为他们“会做的这件事情”，已经被其他方式取代了。

所以，要想获得高薪，首先是要去发现有需求的行业，如果发现自己从事的行业“大家不需要了”，要赶紧提醒自己“走出去”，不要总是想着“也许有一天大家还会需要呢”；其次，是要尽量证明自己做的事“别人没那么容易做到”，如果一份工作所需的技能，大家都能很轻易地学会，哪怕它是高薪职业，也肯定是暂时的。

可能很多人依然认为，只要勤奋和敬业，就能得到更高的工资。但在现实生活中，勤奋从来不是薪酬的核心标准——很努力地做一件人人可以做、大家也不是太需要的事情，很可能就是白忙一场。

看看自己正在做的事情需要的人多不多，再看看这件事情有多少人会，我们的心里自然会得到更合适的答案。

价格和市场

对所有刚刚接触经济学知识的人来说，有一个问题特别容易引发大家的好奇：定价。

这个茶杯为什么卖 15 元？ 20 元不行吗？这种肉为什么是 30 元 1 千克，15 元不行吗？这些东西的价格到底是谁定的？为什么还经常上下波动？如果是因为竞争，那大家一起说好涨价或者降价不行吗？

为什么同样是皮包，名牌包的价格就要贵很多？为什么有些平台低价卖东西，会被品牌方抗议：“从你这里卖的我不负责售后”，平台主动倒贴不行吗？

商品的价格到底是怎么来的？如果我是老板，生产了一种商品，价格能不能想定多少钱就定多少钱？

这可是一门大学问，大到可以专门出一本书。你们在未来的学习中也会学到相关的知识，比如“凝结在商品中的无差别的人类劳动”“社会必要劳动时间”“价值决定价格，供求关系对价格有影响作用”等，甚至还会听到很多不同流派的概念，让人很迷惑。

怎么办呢？我们来找一个相对简便的方法——假如你是一家咖啡店的老板。

底线：成本

定价的基础一定是成本。在正常情况下，会亏损的生意是不能做的，或者说，亏损是有目的的——要么是为了打击竞争对手抢占市场，比如让别人的生意做不下去，等市场都属于自己的时候再提价；要么是为了避免更大的损失，比如水果都快烂了，再不便宜卖掉只能扔掉。

正常情况下，商品的定价要高于成本。这样商家才能有利润。

成本怎么算？就拿咖啡店来说，包括买咖啡豆和咖啡机的钱、店铺的租金、水电费，还有服务员的工资甚至制作门口海报的钱……对，你拿到手的咖啡就包括了那么多的成本，它们的费用都要计算在最终的价格里。

有时，我们会听到这样的抱怨：“为什么这杯咖啡要卖 20 元？我自己在家里做，可能几块钱就够了！”

这是因为你没付店面租金，没给自己发工资，也没在外面贴海报做广告，甚至你也没把你买咖啡机的钱、水电费计算到成本里。如果你打算把手里那杯“几块钱”的咖啡卖掉，你就会发现这件事并不容易做到。

于是，一个基本的定价公式就出现了。

成本＋我想挣的钱＝定价

这是我们把价格牌挂在墙上前，要考虑清楚的第一件事情。

基准线：环境

成本确定后，看起来定价的权利都在自己的手上。但定价到底有没有那么自由呢？这时候，我们要先从自己的角度出发来考虑问题，再来看别人的做法。

先说自己。大家都知道“薄利多销”的道理。

但我们要计算的是价格、销量和产量的关系。如果每天计划卖 100 杯咖啡，价格定高了，卖不掉那么多咖啡，赚的肯定就会少；价格定低了，一天有 150 杯的需求量，我也做不出来。所以，我们需要思考：店里每天的产量是多少，并且根据这个产量来设定合适的价格。

再来看别人。市场上不会只有我一家店卖咖啡，其他店的定价肯定会对我有影响。例如，同样一杯拿铁，马路对面的咖啡店卖 25 元，或者附近的咖啡店都卖这个价格，那这个价格就是你的店的参照。高于这个价格，可能大家都不到你这里买了；低于这个价格，可能赚不了钱。如果在市场上，你的产品并不是独一无二的，那到最后你店里卖的产品的价格会和别人的非常接近。

假设咖啡的定价都偏高，每个店主都能赚10元，可能有人决定不赚那么多，只赚8元，这样大家都去他的店里买咖啡，于是他的生意就越来越好，别人的生意越来越差。为了生存，所有店主都会选择把利润降到8元。

假设咖啡的定价都偏低，店主都在打价格战，宁可亏本也不让竞争对手有生意，那最后比的就是谁扛得住。扛下来的那家店最终还是会把价格调整到合理的区间。

所以，我们要考虑的是，别人的定价是多少，比它高，卖不掉；比它低，可能就赚不了钱。

这样看来，哪怕我们是老板，定价的自由也不大。

自由线：品牌

能不能想一些办法，提升一下定价的自由？

办法当然有，但也不容易实现。作为咖啡店的小老板，你可以关注两件事情。

一是做一些“无法被取代”的事情。产品别人没有或者很难做出来，在市场上没有可对比的参照物，那定价的自由度自然会高很多。比如，你的店有很特别的配方，或者很特别的杯子，周围所有的咖啡店都没有，顾客就没办法判断这个商品是贵还是便宜，你就不必参考别人的价格。

二是做一些推广。你可能会想，做广告很浪费钱，不如把广告费节约下来，给产品降降价，让顾客得到更多的实惠——愿望是美好的，但顾客未必会买账。

假设没有任何宣传，你的店一杯咖啡卖 20 元。而对面的咖啡店推广活动做得锣鼓喧天，海报贴得满天飞，一杯咖啡卖 25 元，你的生意是不是一定会比对面店的好？不一定，因为这时候，顾客购买对面店的咖啡，未必是为了喝咖啡，也许是为了拍照片发朋友圈，展现自己很有品位。广告虽然增加了成本，但也给商品带来了新的附加价值。

从这个角度来看，我们就能理解那些名牌包、知名品牌的玻璃杯、联名款的衣服为什么那么贵了，也明白为什么那么贵还有人买了。

当然，要弄清楚什么是无法取代的商品、怎样做推广并不容易。那些“无法被取代”的商品不一定会得到消费者的认可，广告也不是每一次都能发挥作用。我们可以为提升定价权做努力，但这种努力也并不一定就能获得成功。

如果你家的咖啡杯很有特点，咖啡卖得贵一点儿，但这时候，其他咖啡店觉得这是个好主意，也推出了类似的杯子，还不加价，那你的定价自由就消失了。所以，在必要情况下，知识产权的保护也会对定价有帮助。

除非你卖的产品独一无二，别人模仿不了，不然整个市场会一起决定这种商品的售价，供需关系会使得商品价格围绕你确定的售价上下波动。

大家都想赚钱，但又怕别人把市场抢占了，最终整个市场某种商品的定价就会越来越接近：定价高了没生意，低了又不赚钱。

买的人多了，商品可以贵一点；买的人少了，就赶紧做促销，这两种方式是可以相互转化的，因为价格便宜了，就会有更多的人来买，商品总是不够卖，商家就可以提价；卖得贵了，买的人就渐渐少了，商品就会有库存，商家需要考虑降价。

定价背后，有一双无形的手，每时每刻都在发挥作用。作为老板，可能确实有给商品定价的权利，但这个权利，远没有大家想象得大。

哪怕是景区商店卖得偏贵的矿泉水，遵循的也是这个原理。第一，它的成本是不是会高？例如，把这些矿泉水运到景区，是不是会用更多的人工？第二，它是不是独一无二的？它所处的位置有没有竞争对手？第三，它的价格是不是可以再往上涨一些？价格再往上涨一些，大家可能就会选择自己背水上山，或者有人会以稍低的价格在路边摆摊。

所以，就算想让自己的商品卖得贵一点儿，也得动一番脑筋！

收入与利润

在我们的生活中，有一些词语的意思在不同环境下完全不一样。在经济领域中也存在着这样的现象，比如大家非常熟悉的一个词：收入。

有人说，收入就是“赚了多少钱”。这听起来没有任何问题，但应用到一家企业、一个市场上时，它有时候就会显得不合适。

对个人来说，收入确实更像“赚了多少钱”。月收入是一万元一般指的就是月薪一万元，就是每月多了一万元钱可以使用。对企业来说，收入是指收到的钱，但企业收入一万元，并不代表企业赚了一万元，有可能企业还是亏损的。如果要描述“企业赚了一万元”，那适合它的词语并不是“收入”，而是“利润”。

但只看收入、不看利润或者把两者搞混的情况越来越多，有些人看到一家公司营业收入高，就说这是一家好公司，但事实真的是这样吗？

收入≠利润

收入和利润的差别究竟有多大？

其实，收入和利润的差别，很容易就能讲清楚。

收入，指的是收到的钱，比如一箱饼干卖了 200 元，那收入就是 200 元。

利润，指的是收到的钱减去进货的成本，也就是减去投的本钱之后剩下的钱。这个算法看起来似乎比较简单，比如一箱饼干进货价是 150 元，卖了 200 元，那企业得到的利润就是 50 元。

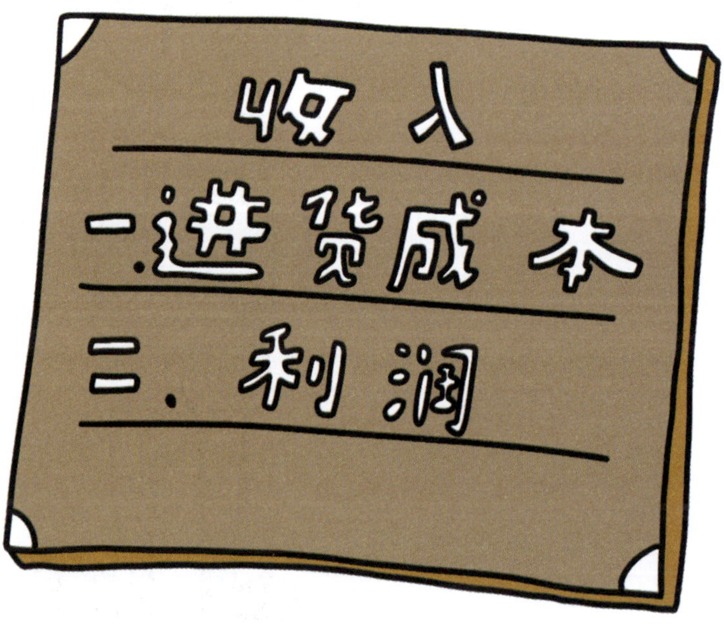

但在实际的企业运营中，利润的算法并没有那么简单。收入减去进货成本算出的数字应该叫毛利，毛利不是精确的，有很多应该计算进去的成本，还没来得及算进去。例如，卖饼干的营业员的工资；存放饼干的场地的租金；开了发票，要交税金；记账设备的购买费用……这些都是开销，都要按照一定的规则或者比例计算到成本里去。这么一算，利润可能就没有 50 元，只有 20 元了。

当然也有可能最后一算，成本还多于 200 元，利润成了负值，那就意味着亏损了。

所以，“收入 200 元”和“利润 200 元”对一家企业来说，是完全不同的两个概念。当我们看到一家企业宣称自己营收上千万元甚至营收几亿元的时候，别觉得这家企业很赚钱，有可能他们只是金钱的搬运工，正咬紧牙关过日子呢。

要不要追求高利润率？

既然利润这么重要，那我们是不是应该看重利润，收入其实并不重要。利润率更高，才能有更高的盈利。

但愿望是美好的，现实是残酷的。高利润率的生意当然有，但要做成这样的生意并不容易。

有一件大家都能想到的事——竞争。

在充分竞争的环境中，高利润率很难长久维持下去。竞争对手一定会通过价格战，让赚钱变得不那么容易。想要维持高利润率，唯一的办法就是做一些别人无法取代、很难模仿的商品。但这样的商品非常少，可能我们绞尽脑汁也想不出太多，所以如果这个商品不是独一无二的，那大家的利润就不会有太大差异。

但利润率低是不是一件不能接受的事情呢？未必。

薄利多销讲的就是规模效应。如果卖出的产品足够多，那就算利润很低，这件事情也是值得做的，因为整体收入会比较高。我们经常会看到一些企业在做团购，价格比平时低很多，团购的销量有时候会很大，这就是薄利多销的典型例子。

例如，一件衣服定价 200 元，利润率 50%，卖掉一件赚 100 元，这个价格一

天只能卖出一件；但如果定价 110 元，卖掉一件能赚 10 元，但一天可能就能卖出 20 件，这就能赚 200 元，比原来还翻了一番。

所以，对企业来说，收入乘以利润率之后的纯利润，才是更重要的。哪怕利润率低，只要收入足够多，依然可以赚得盆满钵满。为什么不少企业都在喊做大做强，都在开连锁店，都在搞规模化？就是这个原因。

收入和利润，到底哪个优先？

收入 X 利润率

在实际生活中，我们常常被“好企业”的标准所困扰。有人说，收入高就是好企业；有人说，利润高就是好企业。而不管是收入高的大企业还是利润高的大企业，似乎都有倒闭的。

很多人都会感到困惑。那么大的企业或者那么能赚钱的行业，怎么说没就没了呢？

记住一句话：只看收入或只看利润，都是不行的。不少企业都会把自己最有优势的那一面展现给大家看，但我们不能只看他们展示的那一面，还要看到他们隐藏的那一面。

我们来看看收入很高，但利润很少甚至有亏损的企业的情况，商业上把这种现象叫作“增收不增利”。有些企业从创建之初走的就是这条路，尤其是互联网企业，常常会强调自己的营收很高，但没有盈利，或者把盈利补贴给用户或者消费者。

为什么要这么做？为了先抢占市场。企业通过补贴的方式，让别人不敢进入这个市场，让用户都来选择自己。等到这个市场都被自己占领时，再想办法赚钱。例如，一些视频网站让大家购买会员、观看广告等，都是为了把以前少赚的钱甚至是亏损补回来。

这种做法非常合理，但也存在两个问题。首先，这个少赚甚至亏损的时间不太好估算，万一有另一家企业也想占领这个市场，两家企业就会进行一场“谁能亏得起”的恶性竞争。一些共享单车公司、咖啡品牌等，都有竞争失败者。其次，就算你赢了，将来想多赚钱的时候，用户不一定买账。用户都习惯了用低价甚至免费的产品了，企业就算多收一元，用户可能都会不接受。

所以，先不想利润，拼市场拼营收，风险很大。

再来看看利润很高，但营业收入却很低的情况。例如，一家企业第一年的收入是 100 万元，利润是 30 万元；第二年的收入是 80 万元，但利润还是 30 万元……感觉好像很厉害，是一家小而美的企业。但其实面对这样的数据，我们依然要有所警觉。这是一个很清晰的信号——企业的规模在缩小。

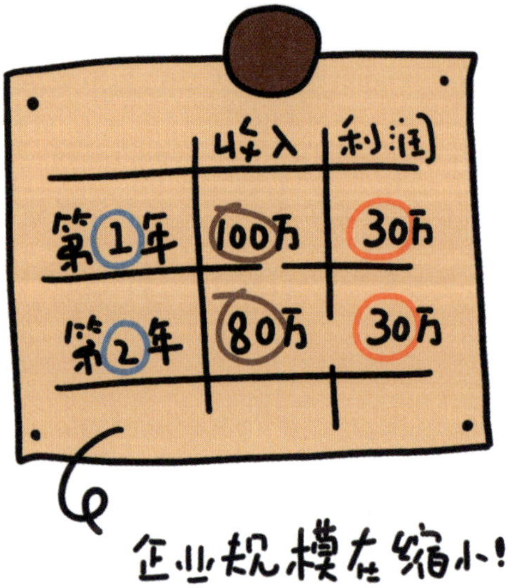

例如，你有一家奶茶店，一天能卖 100 杯奶茶，利润是 1000 元；后来卖不了那么多了，一天只能卖 80 杯奶茶，但奶茶涨价了，利润也是 1000 元。你一定会觉得，“没什么问题，买的人少了，我们就涨价，保证利润。”但实际上有一个非常重要的信号：附近可能有别的奶茶店，从你这里分走了 20 杯。如果你还涨价，别的奶茶店不涨价，那么来买的人只会越来越少，最后这 1000 元的盈利也保不住。

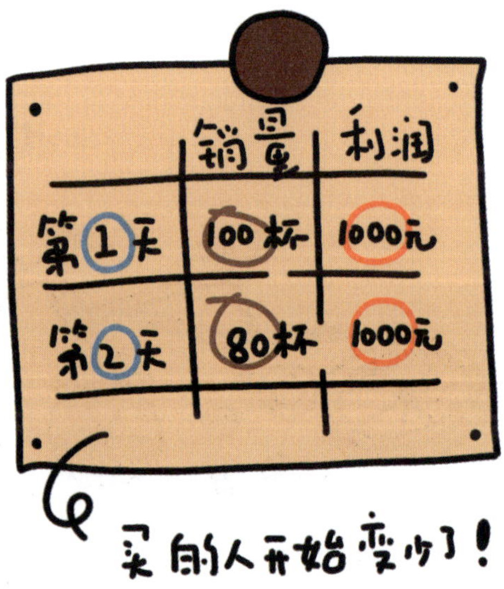

收入下滑，在竞争激烈的市场环境中，靠提高利润率显然是无法持续的。就算企业在赚钱，也常常意味着企业开始进入衰退期。所以，收入重要，利润也重要，它们是判断企业成长的最重要的因素。

每年，甚至每个月，都会出现一大批“明星企业”“网红企业”。老板接受访谈，员工也很光荣，都说自己的企业“又大又强”，报道出来的企业市值动不动就几亿元甚至几十亿元；但每一年，同样有一批这样的企业会突然直接从几亿元变成负几亿元，最后连老板也不知所踪。

这些企业中的相当一部分就是因为不断扩大营收，哪怕亏损也要扩大，希望市场全部被自己占领后再开始赚钱。例如，当一家企业拥有 1000 万用户后，只要从每个用户那儿收 10 元，就是一亿元，就能一举转亏为盈。只不过，这家企业账上的钱不足以等到可以扭亏为盈的那一天。

纳税和纳税人

人的一生有两件事是不可避免的，一是死亡，一是纳税。这是美国著名文学家、政治家富兰克林的一句名言，在西方可谓家喻户晓。

或许你不这么认为，死亡不可避免还说得过去，长生不老那是《西游记》里的故事，但纳税为什么也是呢？好像不怎么觉得啊？

为什么说纳税不可避免呢？如果投资办工厂、开商店，就要缴纳各种商品税，比如增值税、消费税等，还要缴纳所得税，如企业所得税。企业开出的每一张发票里，都有包含了需要缴纳的税费。

上班领工资也纳税。

如果不办工厂、不开商店，只是上班领工资的工薪族，是否不纳税？当然不是，领工资的人需要缴纳个人所得税。我们收到的每一笔工资，都是税后收入；如果这笔收入没有纳税，在年底申报的时候，税务部门会给你打电话，让你及时补交税款。如果你业余写作获得了一笔稿费并且稿费大于 800 元，对方是以公司名义付给你的，你需要纳税；购买彩票获奖了，需要纳税；把房子或者其他设备出租了，获得一笔租金，需要纳税；买房要纳税；买车要纳税……我们的每一笔收入或者支出，都有税收在背后做调节。

如果收入特别低，是不是低于一定额度就不用纳税了？确实，个税可能减免了，但这并不证明你和税收无关。如果你在银行有存款，存款就有利息，利息也要扣税（目前免征）；就算没有存款，从广义纳税的角度来说，我们在每一次消费时都支付了税费。例如，我们买一件衣服，不仅要支付衣服的钱，其实还支付了税款。只不过因为价格和税款在一起，我们感觉不到而已。严格来说，人一出生，就需要吃喝拉撒，就会产生各种收支活动，而这就免不了纳税。所以，纳税还真是“不可避免”的事情。

为什么要交税？

我们可能会在古装电视剧里看到“永不加赋”的说法，就觉得能做到这一点的就是一个好皇帝。一说减税免税，就觉得皇帝对老百姓好，这样大家就有钱了；一说加税，就想到一个词——苛捐杂税，就觉得皇帝不替老百姓着想……不少人会觉得少收税，就很好，将来最好人人不交税；只要税多，就是坏的，是剥削。这其实是一个很大的误解。

税收有几个非常重要的作用。

一是，公共服务。例如，消防队、派出所这样的单位，以及其他政府服务机构，它们之所以能够正常运作，大家打 110、119 也不用花钱，就是因为这些机构的支出来自国家财政，而国家公共财政收入的主要来源是税收。例如，我们看到新建了一座桥、修了一条路，好像我们没有出钱，它背后就有税收的支持。如果没有税，那提供免费公共物品、公共服务的机构就不可能存在，这些机构可能就变成了营利机构，比如民营消防局、私人侦探所，救火、办案要先签订商务合同，不然它们就没办法生存。可以说，正是因为税收，这些便民利民的公共服务机构才能生存下去。我们的税并没有“白交”，而是让我们获得了相应的保障和服务。

二是，调节贫富差距。一个国家肯定存在贫富差距，没有差距体现不出价值；但差距太大也不行，会影响社会公平。如果没有税收调控，让一切自然发展，往往最后就会导致“富的越富，穷的越穷”，因为富裕的人一年定期存款的利息可能比穷人几年的年薪都多。有什么方法可以改变这种现象呢？那就是税收调节。例如，给贫穷的人一些补助和优惠，让富裕的人承担更多的社会责任，而税收就是一个特别好用的工具。所以，我们会看到收入累进制的税收政策，赚的钱多，需要缴纳的个人所得税就多一些；赚的钱少，需要缴纳的个人所得税就少一些，甚至可以免除。

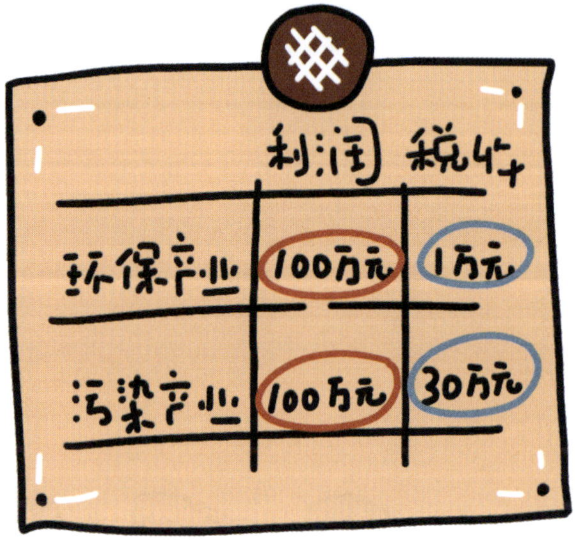

三是，调节社会生产。例如到了某个阶段，一个国家鼓励人们去投身于高科技环保行业，把旧的污染高的行业淘汰，这只靠口头号召肯定行不通。这时候，税收就是非常好的工具：环保产业的企业会有一些税收扶持政策，可能企业利润 100 万元，只要交一万元税；而污染高的企业，税收就多一些，利润 100 万元需要缴纳 30 万元的税。通过这种方式，产业和人员都会转移到环保产业。

现在，我们肯定不会觉得大家都不交税是一件好事情。如果每个人都不交税，这个社会的运转就会一片混乱。因此，税收在一个国家的经济中扮演着重要的作用。

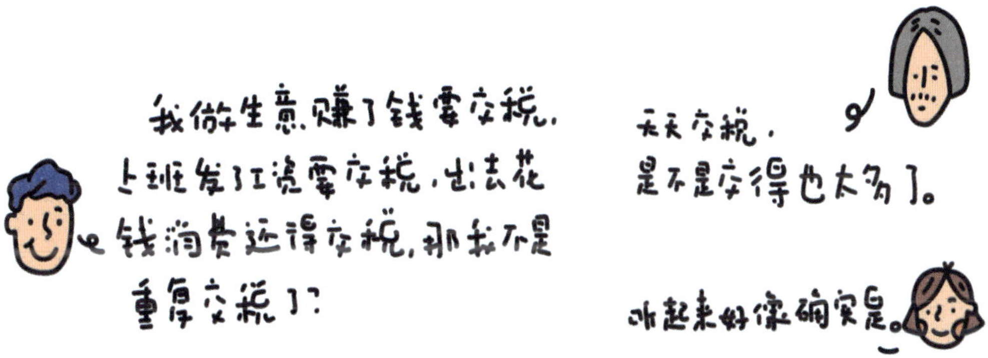

“税”有多复杂？

税收有很多种，如果按照征收对象分，可以分为流转税、所得税、资源税、财产税、行为税五大类。

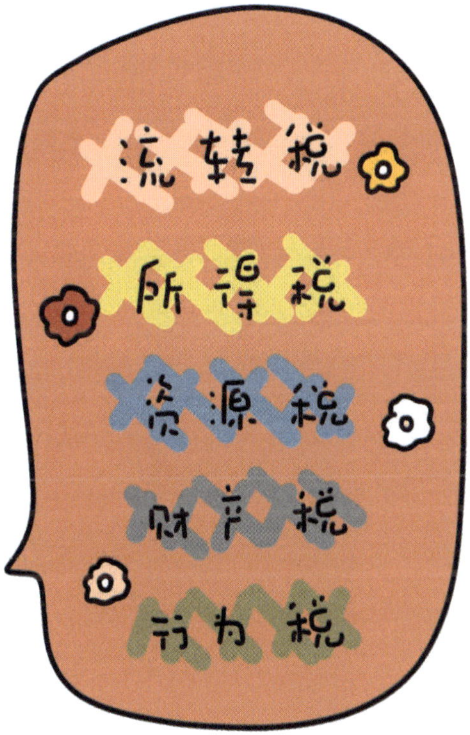

流转税是以商品生产流转额和非商品生产流转额为征税对象的一类税，是主体税种；所得税是指以各种所得额或收益额为征税对象的一类税；资源税是指对在中国境内从事自然资源开发的单位和个人征收的一类税；财产税是指以纳税人所拥有或支配的财产为征税对象的一类税；行为税是指以纳税人的某些特定行为为征税对象的一类税。

这些概念听起来有些复杂，但其实也很简单，比如每个月从工资中扣除的个税，是所得税的一种；高档化妆品、首饰珠宝等商品售价里包含的针对少数消费品征收的消费税，就是流转税的一种；投资理财每次交易时缴纳的印花税，是行为税的一种；买房产时缴纳的契税则是财产税的一种。

在上面提到的这些税里面有重复的吗？好像确实有。例如，我们领工资的时候已经交了个人所得税，把工资花出去的时候还承担了流转税，就不能只交一次吗？这其实不是真正意义上的重复征税，只是不同税种在发挥作用。不光中国，全世界都是这样的。

也有人说，不要设置那么多税种，太麻烦了，直接按人头交税不可以吗？这种操作其实在历史上曾经出现过，不过都以失败告终。前人的经验告诉我们，这种只按人头收税的方式对低收入者非常不公平，也很难征收到充足的税金。人们会想尽办法逃税漏税，而政府为了收税，又会有很多严格苛刻的检查。现在的税收制度虽然很烦琐，也谈不上完美，但能更好地把调节作用融入日常生活中，更科学、也更合理。

合理避税和逃税的差别

合理避税是企业和个人解读政策、提高收益的一种方法，逃税、漏税则是违法行为。虽然它的表面形式都是“不交税”，但其实内核天差地别。

合理避税的重点，是透彻理解政策。我们在生活中会接触到不少税收减免政策，都需要自己去了解。如果你自己不提出来，可能也没有人会主动帮你。例如，某个园区为了吸引企业入驻，明确规定只要企业在园区注册，符合一定的条件都可以享受税收减免，如果你恰好符合

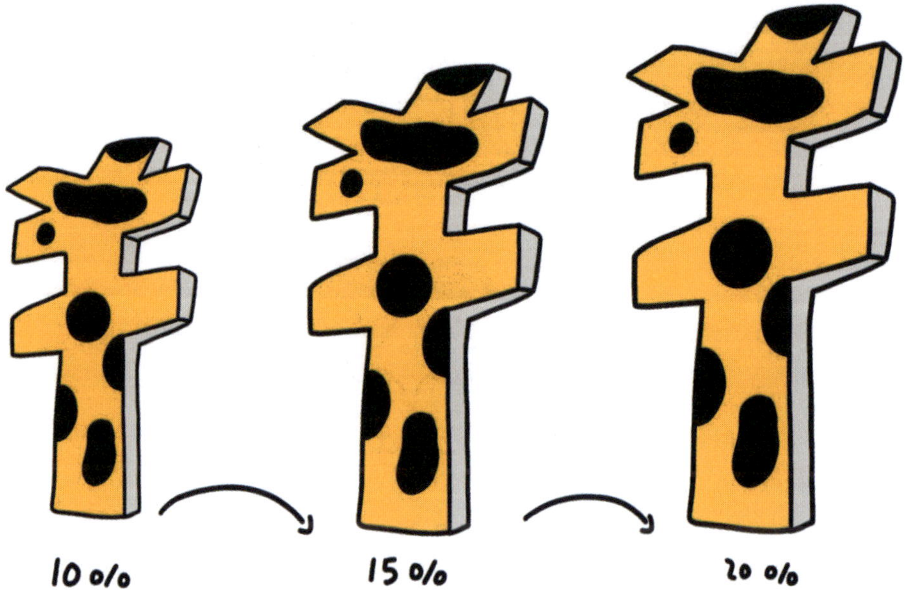

条件，就可以去申请。对个人来说，如果收入再多10元，可能就要适用一个新的扣税比例了，比如税率从10%提高到了15%，那你只能选择不要钱，或者干脆累积到第二年再拿这10元，这可能会让你少交一点儿税。但所有这些做法，都是合法、合规的，也从客观上提高了人们的实际收入。

逃税就完全不一样了，如果一家企业对自己明明该交的税进行虚报、瞒报、赖着不交，或者伪造、涂改、销毁账册、票据或记账凭证，虚报、多报费用和成本，隐匿财产……

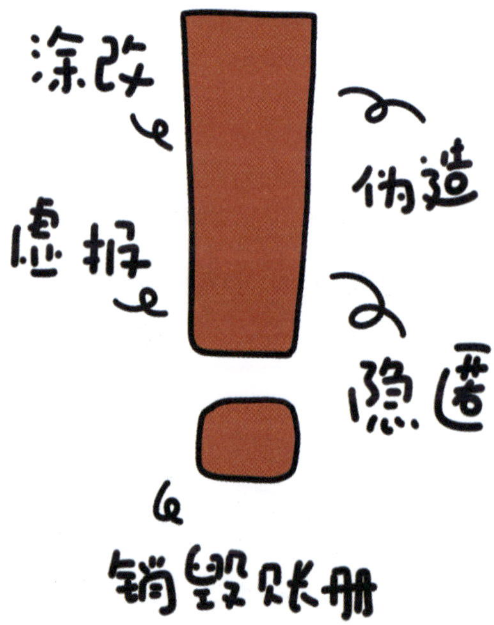

《中华人民共和国刑法》规定：逃避缴纳税款数额较大并且占应纳税额 10% 以上的，处三年以下有期徒刑或者拘役，并处罚金；数额巨大并且占应纳税额 30% 以上的，处三年以上七年以下有期徒刑，并处罚金。

可能还是会有人觉得这样的处罚“会不会太重了”。我们可以这样理解：税收被国家用于公共事业开支，可以说是取之于民、用之于民。

事实上，我们从出生开始就享受着一系列免费的保障和服务，这是纳税人的权利。而只有人人都尽到纳税人的责任，我们才能更好地享受纳税人的权利。

纳税确实让我们的收入变少了，但我们也因此获得了更好的环境，我们的权益也得到了较好的保障。纳税在现阶段的人类社会中是不可或缺的，而纳税人，也是一个令人自豪的身份。

投资和投机

在商业领域，“投资”与“投机”是两个经常被混淆的概念，它们之间究竟有什么区别呢？

我觉得 
最容易混淆这个概念的是广东人，
因为在他们口中，不管是“投资”还是
“投机”，都读“tóu ji  ”

才不是呢！我们广东话里投资和
投机的发音可完全不一样，并不会弄
错，“投机”和“投鸡”的发音倒是一样的。

投资是好，投机是坏?

不少人心里可能有这么一个想法：投资是褒义词，投机是贬义词。例如，我们说一个人惯会见风使舵，可能会说“他是个投机分子”，没人说“他是个投资分子。”

如果有人要做生意、炒股票或者买基金，也会说“我在投资”，没人愿意说“我在投机”。

但投资与投机真的就是褒义词和贬义词那么简单的区别吗? 或者说，投资是劳有所得，而投机却不是?

在商业领域，这两个概念并不像我们想象的那么简单。投资不一定好，投机也不一定坏。它们只是代表了两种不同的理财观念。如果仅仅用好和坏来区分，很多现象是无法解释的。

有人认为赚了钱就是投资，亏了钱就是投机。这种说法并不对。比如你的外婆打麻将赢了钱，能叫投资吗？肯定不能。你的爸爸买基金亏了钱，有人说他投机，你肯定也不服气。

也有人认为进行长线操作的是投资，而进行短线操作的是投机。这也不对。比如你的外婆常年打麻将，算投资吗？肯定不算。你的爸爸用你的压岁钱购买了短期的理财产品，算投机吗？当然也不算。

所以，投资与投机，根本不能用赚钱或亏钱、长期或短期来区别，投资也可能时间短但亏钱。投机也可能时间长但赚钱。很多人嘴里的投资，其实就是投机，只不过他们没有意识到而已。

胆小的人投资，胆大的人投机？

有人认为投资是谨慎的，而投机是大胆的。所以，投机的人更渴望一夜暴富。

投资的人可能会求稳，每年踏踏实实地让自己的存款增加10%的收益，就觉得不错；投机的人则想着“要么本金亏损，要么翻倍”。所以，投机的人更大胆。这话有一半对，也有一半不对。

先说不对的地方。从结果来看，也有不少投资者一夜暴富或者血本无归。投资同样存在风险；而投机的人也可能忙了半天，并没有巨大的收益。

再说对的地方。投资者和投机者对待风险的态度，确实存在差别。就拿大家都熟悉的股票来说，同样是买股票，投资者和投机者考虑的风险就不一样。

投资者认为，我不熟悉这家公司，就是最大的风险，我怎么可以不了解它就投资呢？于是，投资者就会翻看这家公司的数据，甚至恨不得去问问公司的员工，或者到这家公司去看看。

投机者认为，明天这只股票跌了，就是风险。我不需要了解这家公司，更没必要了解这个行业，我只要关心股价是不是会涨就行了。

不管是买房子，还是买黄金，同样一个行为，哪怕买进和卖出的时间一致，都可能同时存在投资者和投机者。

那些做足功课、在进行理财选择时有明确的理由和计划的人所做的决定，投资的成分就更多一些；而那些根据听来的小道消息而跟风进行理财的人所做的决定，就更类似于投机。

例如，有个人听到小区门口的大爷说，有种理财产品特别好，赶紧去买。就算这种理财产品是大银行的正规产品，但因为买产品的人对产品并不了解，全靠门口大爷的一张嘴，那这个人的这个做法在商

业领域也叫作投机。

于是，一个巨大的差别出现了：投资是买卖自己了解的东西，投机是买卖自己不了解的东西。

这个“了解”，不是什么“我觉得”“我听说”，需要的是知识和经验，还有实践。

现在，我们是不是已经明白了，大多数人所参与的投资，从商业的角度来看，其实就是投机。

投资可以双赢，投机只有输赢？

有一个偏概念、高深一些的说法：在正常情况下，投机是零和的，投资是正和的。

零和是指所有参与者输的钱和赢的钱加在一起的总和是零。大家并没有创造财富，而是让钱换了持有人。正和是指大家亏钱和赚的钱加起来是正数，这意味着虽然有亏和赚，但钱的总数是比一开始多了。用这个标准，可以在绝人部分情况下将投机和投资区分开来。

例如，4 个人一起打牌，就是投机而不是投资，因为这个游戏是零和的。打牌输的人输的钱和赢的人赢的钱加起来是零。

有些人判断是否购买某一款理财产品，是看这款产品的价格是否一直在上涨。但事实上，很可能这款产品本身并不是优质产品，价格上涨只是因为人们的“不断买入”，而当它的价格一直上涨时，无论价格有多高，持有的人都能轻易卖出。但一旦价格下跌，就可能会出现很难卖出的情况——越难卖，持有的人就越希望卖出，而卖出的价格就会越低，没有购买这类理财产品的人就越觉得它不值得购买。因此，这些人的理财行为就偏向于投机。

历史上有一个著名的案例，叫荷兰郁金香泡沫。1633 年到 1637 年间，荷兰全民疯炒郁金香。尤其是 1636 年到 1637 年，一年的时间内，郁金香的价格暴涨 59 倍。大家都说郁金香是很好的投资品，买了就能以更高的价格卖掉，每个人都乐在其中。最高的时候郁金香的价格炒到 6700 荷兰盾一支。6700 荷兰盾是什么概念？这笔钱足够买下阿姆斯特丹运河岸边的一栋豪宅——要知道，当时荷

—荷兰郁金香泡沫—
1633 - 1637年

兰的人均年收入仅为 150 荷兰盾，一支郁金香的价格约相当于一个普通的荷兰人 45 年的收入。

但有一天，花了巨款买下郁金香的人发现，没有人愿意花更多的钱买了。原价卖不掉，打折也卖不掉，郁金香都快枯萎了还是没人要。最后买郁金香的一批人承担了这个市场的所有损失，短短一个星期，郁金香价格平均下跌 90% 以上，很多人因此倾家荡产，这就是零和常见的结果。

对炒股的人来说，买了一家公司的股票，其实就成了这家公司的股东。股东有一个权利，就是分享公司成长的红利。如果这家公司盈利了，那它就必须在每年发布权益分配分派实施公告，公布权益分派方案、方法和对象。如果你看中的是一家公司持续盈利的能力，即不是靠卖出股票来获得收益，而是靠这家公司的分红，那结果就未必是零和——因为分红的收入，来自公司的利润，而不是其他股民。

因此，投机并不需要看产品的价值，只要关注是否有人愿意以更高的价格买就可以了；而投资更多考虑的是产品本身，要考虑的是：不把产品卖掉，是不是也能获得收益。

现在我们知道，投资不一定赚钱，投机不一定亏钱。不管是投机还是投资，都有运气的成分在里面。同样一件事，有人就是在做投资，有人就是在做投机，而核心的区别在于，我们是不是真的了解那个产品。所以，知识永远是财经领域最重要的东西。面对突如其来的赚钱机会，都要想一想：那么好的事情，为什么会轮到我呢？

当然，如果非要说概率的话，投机亏钱的概率要大一些。如果有人今天卖某一种新奇的玩具赚了10元，觉得卖这种玩具来赚钱的方法不错，第二天多进了一些玩具，结果却亏了20元。因为你永远不知道，自己是不是买卖链条的最后一棒，或者很难在最后一棒到来前全身而

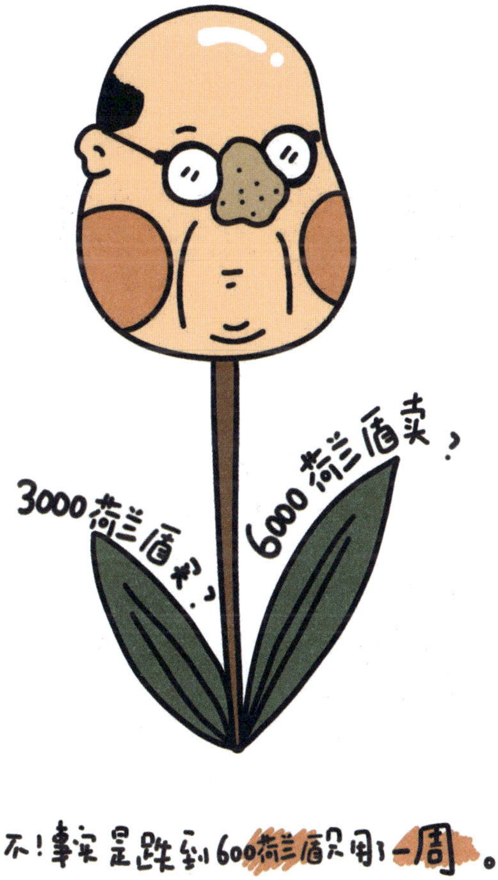

退。就像郁金香，有人觉得3000荷兰盾买的，就算从6000荷兰盾下跌，估计也会跌一阵，自己来得及退出来。但事实是，郁金香价格跌到600荷兰盾只用了一周的时间，哪怕第一天就以原价卖出，可能也无人问津。因为每个人心里都清楚：郁金香本身并不会产生那么大的价值，它的价值仅仅是有人愿意出高价买。

在生活当中，大部分人其实都在投机，却误以为自己在投资。

一方面，是因为“投机”这个词虽然是中性词，但在生活中存在贬义，对着别人喊“一起来投机”听起来怪怪的；另一方面，我们会倾向于把投资的定义扩大，把用自己的资产进行理财都称作投资，从这个角度来说，只要是期待回报的投钱，都能叫作投资——尽管它或许并不符合严格的财经定义。但在进行理财时，我们心里要清楚，自己接下来的决定，到底更像投资还是投机，要对风险有预估。

中国经济与世界经济

把国际经济讲清楚并不是一件容易的事，就好像看着一张世界地图并不能知晓整个世界一样。我们身边的大多数人，哪怕是国际经济专家，也不可能对整个世界有全面的了解。因为我们并没有生活在我们所讨论的国家。

一家店为什么会倒闭，一个产业为什么会兴起，有很多文化上的原因，如果不够了解，用自己的视角去解释，就可能有偏颇。更别说诸如委内瑞拉、刚果、保加利亚……许多大家并没有那么熟悉的地方。

但依然有一些事情，我们可以提前了解。

自主与合作

自主与合作到底是什么样的关系？

有人总说“有你没我”，甚至我们会一直听到“要自主、不要合作”，因为“一旦依赖外国，将来就会受欺负”。

有时候世界经济环境不好，国与国之间的沟通热情在下降，对抗氛围比较浓厚，许多国家都会嚷嚷着“脱钩”，要证明“我不需要依靠你，也可以过得很好”。

国和国之间能否做到“互不依靠”？对一个资源结构比较完善的国家来说，当然可以。我们可以把我们的世界想象成一个“村”。

这个村并不是一块比较平坦的平原，有的地方有水，有的地方有山，有的地方有矿，有的地方有树林，有的地方冷一点儿，有的地方热一些……也就是在村里的各个地方，自然环境各不相同，资源也各不相同。

村民的能力也有差异。有些人擅长打铁，有些人擅长种树，离水近的人擅长捕鱼，离山近的人采矿本领高。如果采矿的人要吃鱼，那就拿着矿石去换鱼。这

个村庄就这么热热闹闹地合作起来了，这其实也是世界的缩影。

但每隔一段时间，可能会出现这样一种情况：买矿的人觉得这样换鱼不划算或者看捕鱼的不顺眼，吵架了，然后村民之间的关系就闹僵了，大家都不愿意交换东西了。这样一来，采矿的人想吃鱼，要么自己挖鱼塘养鱼，要么用自己蹩脚的捕鱼技术抓鱼；捕鱼的人去采矿，也无从下手，整个村庄的发展就会停滞不前。所以，开放、合作一定是发展的主流。为什么我们需要了解世界上其他地方发生了什么？因为如果看不到别人跑得多快，我们就不知道自己跑得怎么样。别人踩过的坑，我们依然会踩一遍，别人走出的新路，我们也看不到。

富国与穷国

世界各国的经济发展并不均衡，贫富差距很大。

如果按各国 GDP 这个标准来给世界各国排名，那么在 2021 年的一季度，美国排第一，中国排第二，后面是日本、德国、印度、英国、法国、意大利、加拿大、韩国……

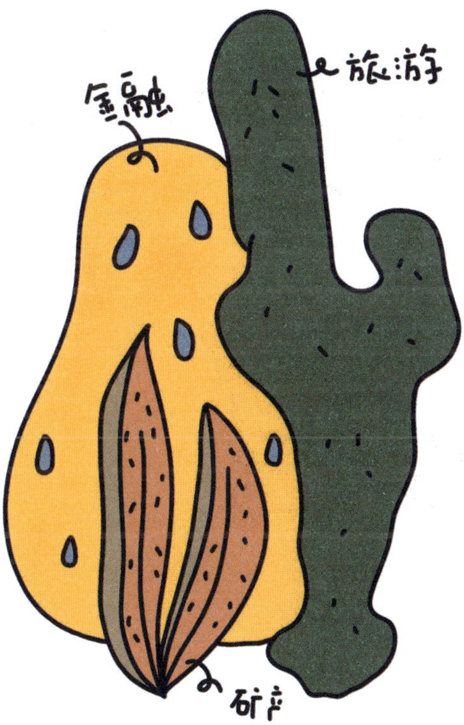

但也有别的排行榜，比如按经济竞争力排名，一看 2021 年的榜单，瑞士、瑞典、丹麦、荷兰……这和上一份完全不一样了。

这也是我们认识世界经济的关键：如果用不同的标准去衡量，答案千差万别。有些国家的经济体量很小，但人均很高；有些国家在某一个方面，比如金融、科技实力特别强，但土地贫瘠、矿产不丰富……我们很难简单地说，这个国家经济好，那个国家经济差。

我们还经常看到这样一种观点：为什么中国总是要去援助一些不发达国家？这钱发给中国人不好吗？我们自己国家也有很多人很穷啊！但仔细想想，这样的援助真的对我们一点儿好处都没有吗？并不是。它是一种可以双赢的选择。

例如，中国帮助一个国家建设了铁路和港口，让当地的交通顺畅了，贸易得到了发展，不管是矿产还是农产品都能运出去，需要的设备也能运进来，当地的经济得到了发展，民众的收入也提高了。这同时也意味着中国会有更多的机会和这个国家开展经济合作，会有更多的跨国企业出现，为双方提供更多的就业岗位；中国生产的商品可以更顺利地销往这个国家，满足当地的需要；当地结合自己的特点生产的特色产品，也可以以相对优惠的价格出口到中国……

这样的援助让更多的人获得了工作机会，同时也有机会把自己国家的产业做大，我们有机会买到更便宜的商品。这些由援助所产生的价值往往比直接把援助的款项发给自己人更大。

有时候我们常常会看到“穷国不值得帮”或者“富国就要帮助穷国，彰显大国责任感”的说法。但站在经济学的角度，“富国”和“穷国”本身就是一个有偏差的定义，而“帮”也不仅仅是“责任感”那么简单。

在全球化趋势进一步加强的现状下，一个国家的变化一定会影响另一个国家。贸易、战争……很难再说“与我无关”。而国家与国家之间并不都是竞争，也可能是双方共同的成长。

看不到这一点，就不算懂经济。

领先与落后

只有了解世界，才能更好地了解自己。我们就能知道哪些事情我们真的领先，哪些事情其实还比较落后。

有些资源可能整个世界都需要，但因为我们自己“够用”，便很容易忽略它的价值。像浙江义乌的小商品市场，之所以能够那么红火，是因为它的商品已经成了“价廉物美”的标杆，甚至还有了一个词，叫“义乌指数”——有人拿它来判断世界经济的走势，有人拿它预测美国大选……如果它的销售市场只在国内，当然也能生存，但不会那么有活力。

同样，一个国家如果缺乏和其他国家之间的国际交流，就会误认为自己在某些方面“很厉害”。例如，我们尽管也有自主研发的芯片及各种智能设备，但正是因为看到了世界先进水平，才会意识到存在的差距。

因此，了解世界，也是了解我们自己，这种了解包括很多细节。例如，2020年，中国占全球商品贸易总额的1/10左右，但以销售利润低的产品为主，像旅游服务、通信服务、金融服务等有着更高附加值的服务贸易总额占比只有1/20；虽然中国拥有100多家位列《财富》杂志世界500强的企业，但他们的主要收入都来自国内，在国外的营收占比不到1/5，也就是说，这些企业绝大多数的业务依然在国内，国外业务只是“锦上添花”；而标准普尔500强企业的海外营收平均占比在1/4左右，意味着这些企业在业务上更具有全球影响力。

因此，虽然中国的全球影响力在慢慢变大，但其他国家真正了解中国的人并不多。

为什么中国的故事没有在世界上广泛传播？一部分原因是一些西方国家也没有开阔的视野，不知道世界已经发展成什么样；另一部分原因是中国没有用世界能听懂的方式去讲述中国故事。要让世界听懂，就需要了解世界。

虽然有波折，今天的中国也懂得了和世界联结的重要性。一场巴菲特的午餐

让不少中国商人加入竞拍行列；无论在南美洲还是在非洲，都有中国企业的身影；“一带一路”倡议的背后，是我们与周边许多国家的密切合作。

越来越多的中国人走出国门、境外消费不断攀升。出国留学和旅游也早就不是有钱人的专属。很多人在外国驻中国的公司工作，也有很多人在中国驻海外的企业上班，我们和世界上的其他国家是互相依存的。

独立自主、自力更生当然是每个经济体都在努力的方向，但它和开放、合作并不冲突，只有打开眼界，开阔视野，我们才能把自己脚下的路看得更清楚。

大家来思考一下吧！

把东西卖给同学，算不算会赚钱？

把压岁钱存在储蓄罐里，算不算会理财？

给游戏充值，算不算乱花钱？

贫人和富人有定义吗？

是什么影响着我们对贫穷和富有的定义？

中国人民银行在哪里？

银行靠什么赚钱？

“多印钱”能让大家变富吗？

到底是什么决定了工资的高低？

如何获得高工资？

收入和利润，到底哪个优先？

为什么要交税？

合理避税和逃税有什么差别？

投资是好，投机是坏？

自主与合作到底是什么样的关系？